ELMER
David McKee

kaléidoscope

Il était une fois un troupeau d'éléphants.
De jeunes éléphants, de vieux éléphants, de grands éléphants,
des gros et des minces. Des éléphants comme ci, des éléphants
comme ça ou autrement, tous différents mais tous heureux
et tous de la même couleur. Tous... sauf Elmer.

Elmer était différent.
Elmer était bariolé.
Elmer était jaune
  et orange
  et rouge
  et rose
  et violet
  et bleu
  et vert
  et noir
  et blanc.
Elmer n'était *pas* de la couleur
des éléphants.

C'est Elmer qui rendait les éléphants heureux.
Tantôt il plaisantait avec les autres éléphants,
tantôt les autres éléphants plaisantaient avec lui.
Mais c'est toujours Elmer qui amenait le rire.

Une nuit, Elmer n'arriva pas à trouver le sommeil; il se disait qu'il en avait assez d'être différent. "Qui a jamais entendu parler d'un éléphant bariolé? pensait-il. Pas étonnant qu'ils se moquent de moi." Au matin, avant que les autres se réveillent tout à fait, Elmer s'esquiva doucement. Son départ passa inaperçu.

Tandis qu'il traversait la jungle, Elmer rencontra d'autres animaux.

Ils lui dirent tous : "Bonjour, Elmer." A chacun d'eux
Elmer sourit et répondit : "Bonjour."

Après une longue marche, Elmer trouva
ce qu'il cherchait — un arbrisseau
buissonnant. Un arbrisseau couvert
de baies, un arbrisseau couvert de baies
de la couleur des éléphants. Elmer attrapa
l'arbrisseau et le secoua tant et si bien que
les baies tombèrent sur le sol.

Une fois que le sol fut tapissé de baies, Elmer s'allongea
et roula sur lui-même plusieurs fois d'un côté et de l'autre
puis d'avant en arrière. Ensuite il ramassa des grappes
de baies et s'en frictionna le corps jusqu'à ce que le jus
des baies le recouvre entièrement et qu'il n'y ait plus
la moindre trace de jaune ou d'orange ou de rouge
ou de rose ou de violet ou de bleu ou de vert ou de noir
ou de blanc. Une fois son travail achevé, Elmer ressemblait
à n'importe quel autre éléphant.

Ensuite Elmer s'en retourna vers le troupeau. En chemin
il repassa devant les autres animaux.

Cette fois ils lui dirent tous : "Bonjour, éléphant".
Et à chacun d'eux Elmer sourit et répondit : "Bonjour",
heureux de ne pas être reconnu.

Quand Elmer retrouva les autres éléphants, ils étaient tous immobiles et silencieux. Aucun ne remarqua Elmer tandis qu'il se glissait au milieu du troupeau.

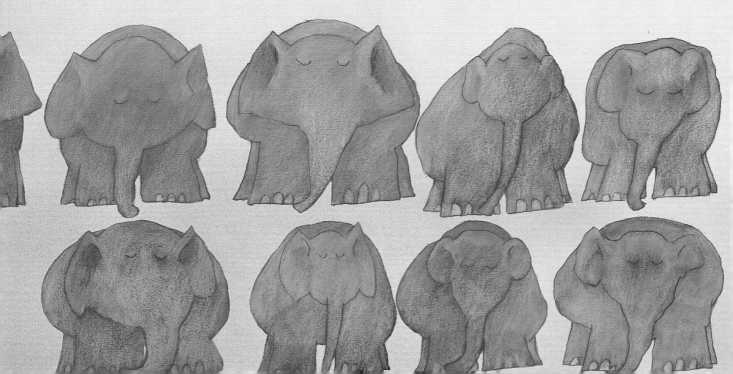

Au bout d'un moment, Elmer sentit que quelque chose clochait, mais quoi? Il regarda autour de lui : la même jungle habituelle, les mêmes nuages chargés de pluie qui traversaient le ciel de temps à autre et enfin les mêmes éléphants. Elmer les regarda.

Les éléphants étaient comme soudés au sol. Elmer
ne les avait jamais vus si sérieux. Et plus il regardait
ces éléphants silencieux, sérieux, solennels et comme soudés

au sol, plus il avait envie de rire. Au bout d'un moment,
ce fut plus fort que lui, il leva sa trompe et il hurla à tue-tête:

Les éléphants furent si surpris qu'ils firent des bonds
dans tous les sens. "Nom d'une pipe!" s'exclamèrent-ils,
puis ils virent Elmer qui n'en pouvait plus de rire.

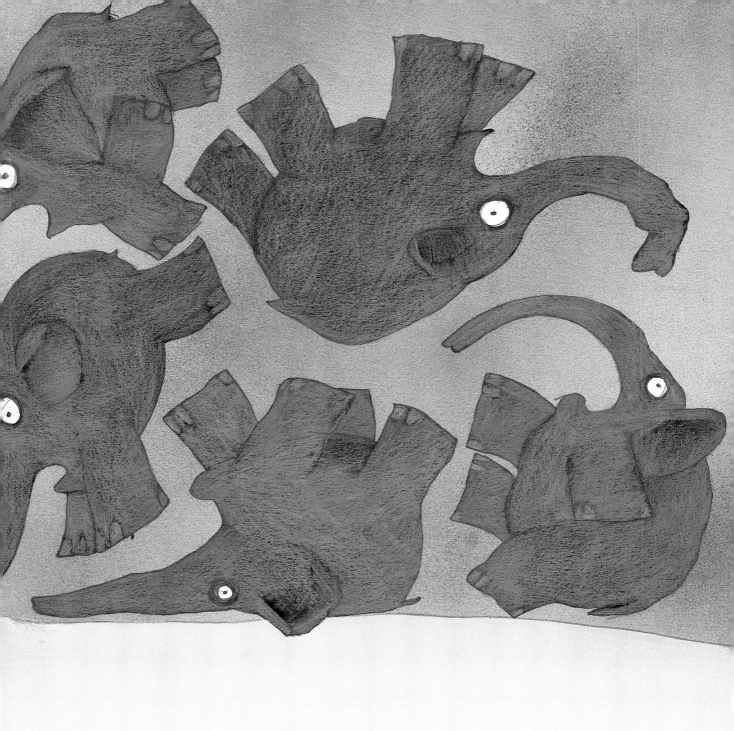

"Elmer, dirent.-ils. Ce doit être Elmer". Alors les éléphants
se mirent à rire comme jamais ils n'avaient ri auparavant.

Tandis qu'ils riaient, un nuage creva, et au contact de la pluie, Elmer redevint bariolé. Les éléphants riaient encore quand Elmer retrouva toutes ses couleurs habituelles. "Oh, Elmer, dit un vieil éléphant, tu nous as déjà fait de bonnes plaisanteries, mais jamais nous n'avions ri comme aujourd'hui. Tu t'es vite démasqué."

"Nous devons célébrer ce jour chaque année, dit un éléphant. Ce sera le jour d'Elmer. Tous les éléphants se décoreront et Elmer se peindra de la couleur des éléphants".

Ainsi font les éléphants. Un jour par an ils se décorent
et ils pavanent. Si ce jour-là vous rencontrez un éléphant
de la couleur habituelle des éléphants, vous saurez
que c'est Elmer, sans aucun doute.

Traduit de l'anglais par Élisabeth Duval

Titre original de l'ouvrage : ELMER
Éditeur original : Andersen Press Ltd.
© 1989 by David McKee.
Tous droits réservés.
Pour la traduction française : © 1989 Kaléidoscope
Loi n°49.956 du 16 juillet 1949 sur les publications
destinées à la jeunesse : septembre 1989
Dépôt légal : septembre 2005
Imprimé en Italie par Grafiche AZ

Diffusion l'école des loisirs

www.editions-kaleidoscope.com